MINI CURIOSOS MONTAM O fundo do mar

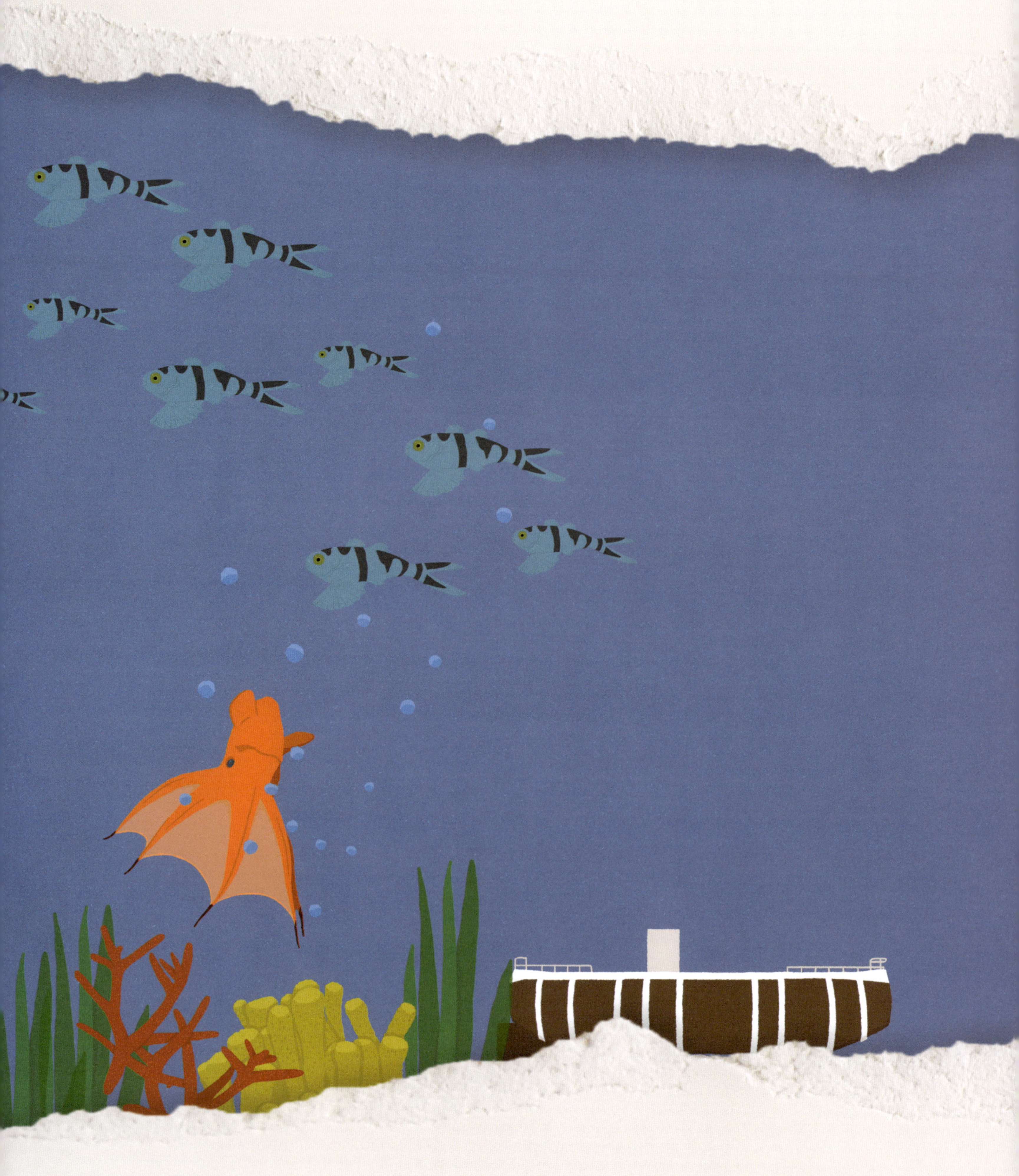

MINI CURIOSOS MONTAM O fundo do mar

Clarice Uba

Ilustrações:
Lorota

Toy Art:
Marcos Paulo Drumond

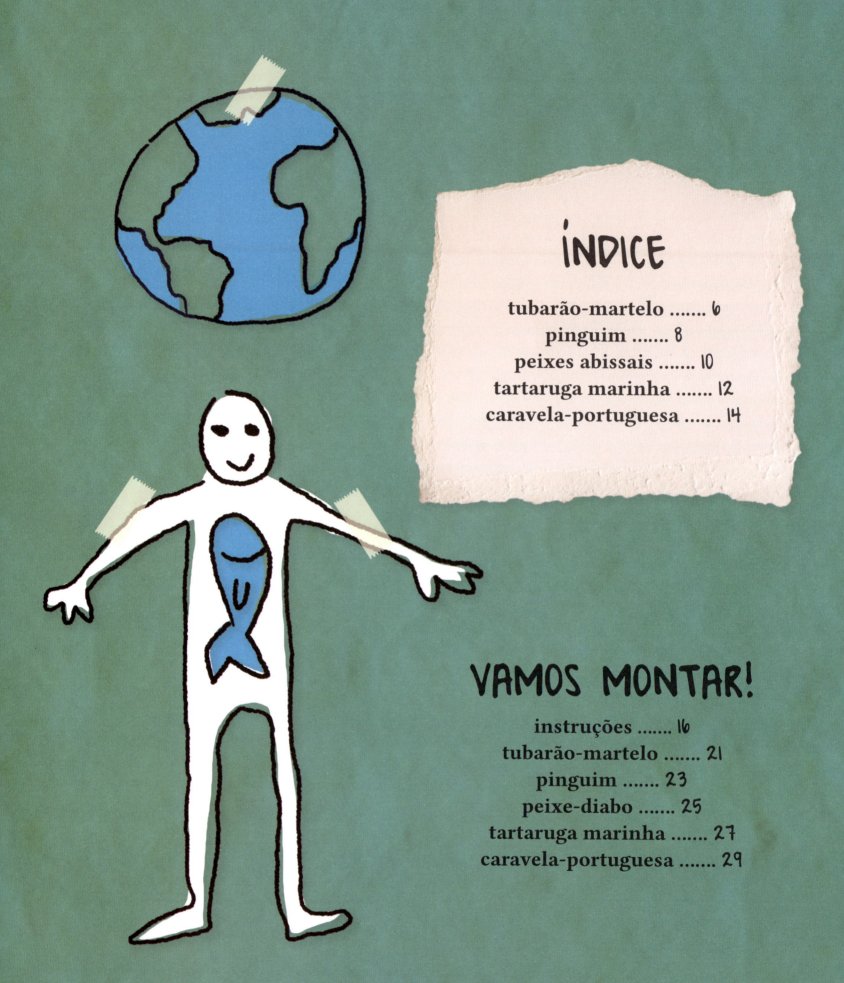

ÍNDICE

tubarão-martelo 6
pinguim 8
peixes abissais 10
tartaruga marinha 12
caravela-portuguesa 14

VAMOS MONTAR!

instruções 16
tubarão-martelo 21
pinguim 23
peixe-diabo 25
tartaruga marinha 27
caravela-portuguesa 29

o nosso planeta se chama Terra

(mas devia se chamar Mar!)

Quando o primeiro astronauta viu o nosso planeta lá do espaço, ele disse: "a Terra é azul". Você já parou para pensar no que isso significa? Esse nosso mundinho é muito mais água do que terra e a maioria das coisas vivas está no mar, e não em terra firme, como a gente.

E no meio de tanta água ainda tem muita coisa para a gente pesquisar e descobrir! O mar é cheio de segredos e ambientes diferentes: dos recifes de corais coloridos às águas geladas da Antártica. Do azul enorme do mar aberto até as profundezas dos abismos marinhos onde a luz nunca chega – é tanta coisa que nunca iria caber num livro só!

Por isso, neste livro aqui você vai conhecer alguns dos bichos que existem nesse mar sem fim, e depois, com a ajuda da família ou dos amigos, você pode montar cada um deles também.

vamos começar?

tubarão-martelo

Existem vários tipos de tubarão-martelo – alguns são bem pequenininhos, outros bem grandões – mas todos eles têm essa cabeça engraçada.

E por que ele tem a cabeça tão esquisita?

Não é para ficar mais bonito, o tubarão não liga pra isso. Essa cabeçona ajuda o tubarão na hora de fazer curvas, e com os olhos nas pontinhas dela ele consegue ver em quase todas as direções.

Mas o mais legal para o tubarão-martelo é que esse cabeção funciona como um detector de comida enterrada na areia.

Todos os tubarões têm um sentido muito legal que a gente não tem: eles conseguem sentir a eletricidade que outros bichos produzem através de uns furinhos que ficam no focinho.

Como o martelo tem muito mais focinho que os outros tubarões, ele também tem muito mais desse sentido.

(estes são outros tipos de tubarão)

E apesar da cara de mau, os martelos não estão interessados na gente. Eles preferem passar o tempo usando o superfocinho para achar o prato preferido deles: uma arraia bem gordinha escondida na areia.

→ (aqui tem uma arraia!)

pinguim

Os pinguins são muito desengonçados quando estão em terra firme. Além de parecer que estão vestidos para um casamento, ainda andam rebolando de um lado pro outro.

Mas se ele é todo engraçado andando, no mar vira campeão de natação!

Ele é tão craque na água porque o pinguim foi mudando ao longo do tempo para nadar cada vez melhor. E o que ele tem de tão diferente assim?

O pé do pinguim é um verdadeiro pé de pato. Por isso ele não anda direito na terra (tente andar de pé de pato para ver!). As asas dele não servem para voar, mas na água viram nadadeiras!

8

Existem várias tipos diferentes de pinguim, alguns pequenininhos, outros enormes e tem até alguns pinguins com topete amarelo! Mesmo sendo diferentes, todos os tipos de pinguim têm coisas em comum.

Além de não voar e serem bons nadadores, todos os pinguins gostam de frio. Eles estão em casa nas águas geladas do polo sul – essas aves não vivem no polo norte apesar de lá também ser gelado.

As penas dos pinguins também são especiais: as brancas e pretas que a gente vê são cobertas por um óleo que ajuda a proteger do vento e da água. Debaixo dessas penas têm outras bem pequenininhas que servem para segurar o calor do corpo do pinguim e não deixar frio nenhum chegar nele.

Sorte dos pinguins que nunca tiveram que encarar um urso polar; esses grandões só vivem no polo norte.

O pinguim é tão craque de frio que alguns cientistas estão estudando as penas dele para criar uma roupa de mergulho que mantenha as pessoas quentinhas e secas mesmo nas águas geladas da Antártica.

Os pesquisadores de pinguim vão adorar!

peixes abissais

O mar não é só enorme, ele também é muito fundo! Dentro dele ficam algumas das montanhas mais altas do mundo (e a gente não vê nem a pontinha delas) e dos abismos mais profundos. O mar é tão fundo, mas tão fundo, que na maior parte dele a luz não chega e é sempre uma escuridão total.

Por muito tempo ninguém acreditava que tinha vida nessas profundezas, mas desde a década de 1960 alguns cientistas muito corajosos começaram a explorar essa parte escondida do mar.

(este é o submarino Trieste)

Para descer tão fundo no mar nós, humanos, precisamos de um submarino superforte para nos proteger da pressão da água, e hoje em dia os cientistas também usam robôs que podem ir sozinhos para as profundezas do mar e gravar imagens do que tem lá embaixo.

E nesses abismos do mar moram criaturas incríveis e estranhas, feitas para viver só nesses lugares. A gente ainda sabe bem pouco sobre elas, mas estamos descobrindo cada dia mais.

E que tipo de peixe mora lá?

Por exemplo, tem o **peixe-diabo**, este feioso aqui que existe nas águas profundas do mundo todo – ele vive até a 4.500 metros de profundidade, onde nunca chega luz. Por isso, eles têm essa antena engraçada na cabeça; ela produz uma luz que atrai outros peixes e bichos para perto do peixe-diabo, que *nhec*!, engole todos de uma vez só!

Mesmo se o jantar for maior que o peixe-diabo não tem problema, o estômago dele se estica como uma bolsa para fora do corpo e ele não perde a refeição.

E como ele faz para ter essa luz? Na verdade quem faz a luz são **bactérias**, bichinhos pequenininhos que vivem na pele do peixe-diabo. As bactérias fazem a luz e ele dá casa e comida para elas.

tartaruga marinha

A tartaruga marinha existe há muito, mas muito tempo. Já tinha tartaruga nadando por aí no tempo em que os dinossauros andavam pela Terra.

E se ela existe há tanto tempo é porque é craque em viver no mar mesmo respirando ar como as primas de terra firme. Cada pedacinho do corpo da tartaruga marinha é feito para viver melhor na água.

As tartarugas gostam tanto da água que passam a vida toda no mar. Só as mães tartarugas precisam sair bem de vez em quando: quando está na hora de colocar os ovos, elas vão até uma praia e cavam um buraco na areia para servir de ninho.

As mães têm esse trabalhão todo porque os ovos delas precisam do calor do sol para chocar. Mas assim que as tartaruguinhas nascem elas saem correndo direto para o mar.

Até os bebês tartaruga crescerem eles precisam de um lugar protegido para viver. Muitos deles vão se esconder em grandes canteiros de algas flutuantes que existem no mar. Nesses lugares tem bastante comida para as tartaruguinhas se alimentarem até ficarem grandes o bastante para sair explorando o mundo.

E elas são as grandes viajantes do mar! As tartarugas marinhas nadam milhares de quilômetros pelo mundo. No meio de tanta viagem o mais incrível é que as mães tartarugas sempre conseguem achar o caminho de volta para a mesma região onde elas nasceram – às vezes até a mesma praia – e voltam até lá para colocar os ovos e fazer novas tartaruguinhas.

caravela-portuguesa

A caravela ganhou esse nome porque parece um barco a vela antigo. Como esses barcos, ela também flutua pelo mar e precisa do vento e das ondas para ir de um lugar para o outro.

Às vezes, elas formam grupos enormes, com milhares de caravelas flutuando juntas. Pode parecer que elas que escolheram viajar juntinhas, mas a caravela não tem um cérebro e não decide e nem liga pra onde vai.

E apesar de parecer um bicho só, cada caravela-portuguesa é uma colônia feita de milhares de minibichos diferentes chamados **zooides**, que são todos parentes e vivem grudadinhos uns nos outros.

Alguns trabalham como os estômagos da caravela, outros fazem mais caravelinhas. A parte que flutua é um zooide só.

Esses tentáculos mais compridos são cobertos por células venenosas, e servem para a caravela se proteger e pegar a comida.

Esse veneno é superforte, e se um peixe distraído nadar no meio deles vira comida rapidinho! Por causa disso, quase todos os bichos preferem ficar longe dessas colônias. Todos, menos o peixe *nomeus gronovii* que não liga para o veneno da caravela.

Ele usa as caravelas como esconderijo para se proteger de peixes maiores, e ainda come os tentáculos delas quando está com fome!

15

vamos montar!

Aqui está uma lista do que você vai precisar para montar seus animais marinhos!

(E não esqueça de pedir uma ajudinha para algum adulto amigo.)

você vai precisar de:

 BASTANTE CURIOSIDADE! isso você já tem, né?

 cola transparente ou cola branca.

 um palito de churrasco ou de fazer unha, sem a ponta (é só bater a ponta no chão).

 um papel (ou revista, ou jornal velhos) para proteger a mesa ou o chão.

 uma moeda de 5 centavos para montar a caravela.

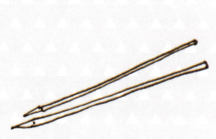
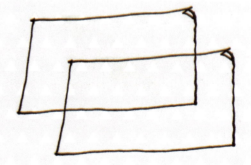

Tudo pronto para começar!
Siga estes passos na ordem para dar tudo certo:

1. Cada um dos bichos vem separado em pecinhas na página, mais ou menos assim.
Comece destacando a página que você vai montar.

2. Depois, você vai destacar as peças da página. Você vai ver que onde tem que dobrar já está mais molinho. Reforce um pouco essas dobras, vai ajudar na hora de colar.

3. Dos dois lados das peças que você separou tem letras com números. Cole o A1 da frente no A1 do verso e continue dessa forma – A2 com A2, A3 com A3 – até a sua peça estar montadinha.
(não esqueça de proteger a mesa com aquele papel!)

 Dica! Quando você colar duas abas da peça, segure-as juntas até a cola secar bem, e só aí passe para as próximas abas.

4. Você vai notar que sobraram umas abas marcadas com duas letras e um número como, por exemplo, **A+B 1**. Esse é o ponto onde a peça "A" vai encontrar a peça "B". Na peça B também tem a mesma marcação, e você vai colar umas nas outras – mas tem uma ordem certa!

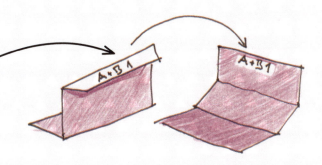

 Dica! Conforme você for fechando a sua peça, pode ficar difícil manter as abas juntas enquanto a cola seca – use o seu palito para alcançar essas abas mais escondidinhas.

Vire a página para continuar.

para juntar tudo:

Agora que você tem todas as peças do seu bicho montadinhas, só falta colar umas nas outras para ele ficar pronto.

! Mas, atenção, cada bicho tem uma ordem certa para unir as peças, como está marcado aqui:

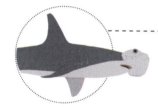

tubarão-martelo

nível de dificuldade: fácil

MONTE AS PARTES ASSIM:

1. **RABO:** cole as costas do tubarão (C/D) uma na outra, depois feche o rabo colando a parte de baixo (E).
2. **CORPO:** peça B.
3. **CABEÇA:** peça A.

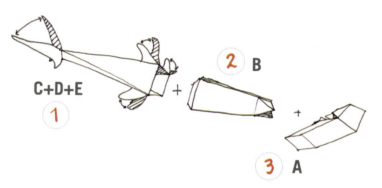

{ Com todas as partes do tubarão prontas, cole o RABO no CORPO e, depois, a CABEÇA no corpo. }

pinguim

nível de dificuldade: médio

MONTE AS PARTES ASSIM:

1. **CORPO/CABEÇA:** feche a peça A e cole a peça B fechando o peito do pinguim (veja o desenho ao lado).
2. **CORPO BAIXO:** feche a peça D (a base do corpo do pinguim) e cole a peça C nela. Você vai formar uma espécie de copo.
3. **PÉS:** peças E e F.

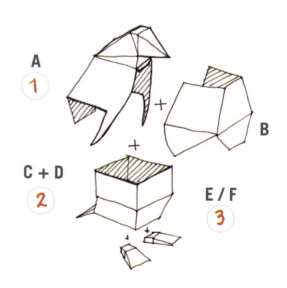

{ Com todas as partes do pinguim prontas, cole o CORPO/CABEÇA por dentro do CORPO BAIXO e, depois, cole os PÉS no CORPO BAIXO. }

peixe-diabo

nível de dificuldade: fácil

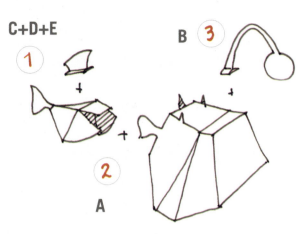

MONTE AS PARTES ASSIM:

1. **RABO:** cole as peças D e E para formar o rabo. Depois, cole a barbatana (C).
2. **CABEÇA/CORPO:** peça A.
3. **ANTENA:** peça B.

{ Com todas as partes do bicho prontas, cole o RABO na CABEÇA/CORPO. Depois, cole a ANTENA na CABEÇA. }

tartaruga marinha

nível de dificuldade: difícil

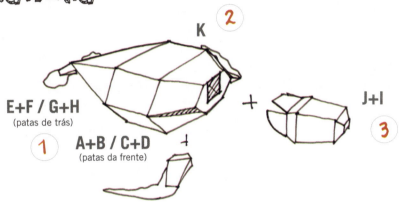

MONTE AS PARTES ASSIM:

1. **PATAS:** cole as peças E e F, e G e H para formar as patas traseiras. Cole as peças A e B, e C e D para as frontais.
2. **CORPO:** peça K.
3. **CABEÇA:** cole a peça I na peça J.

{ Com todas as partes do bicho prontas, cole primeiro as PATAS no CORPO e, depois, a CABEÇA no CORPO. }

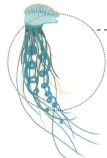

caravela-portuguesa

nível de dificuldade: médio

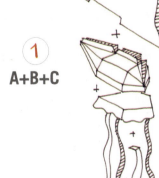

MONTE AS PARTES ASSIM:

1. **FLUTUADOR:** cole a peça B na peça A —lembre de colar a moeda dentro da peça A, no lugar indicado, ela vai funcionar como um peso e você poderá colocar a caravela numa estante. Cole a peça C na A.
2. **TENTÁCULOS:** peças de D a K.

{ Com todas as partes do bicho prontas, cole os TENTÁCULOS no FLUTUADOR. }

19

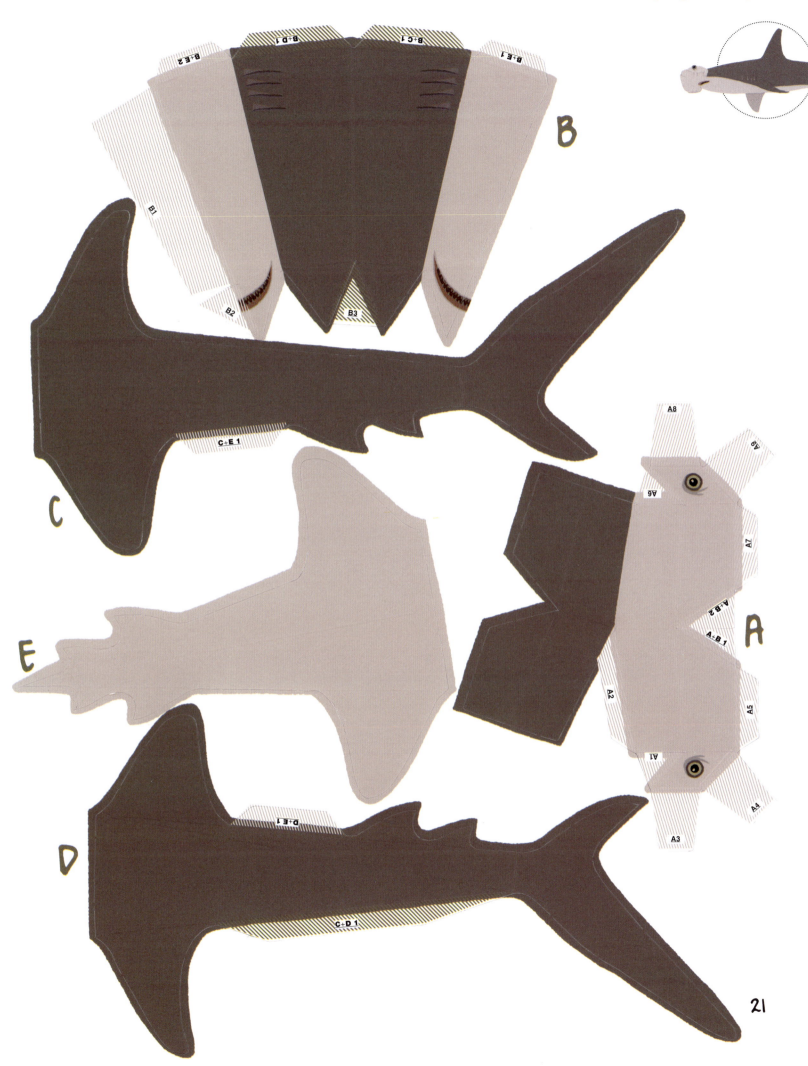

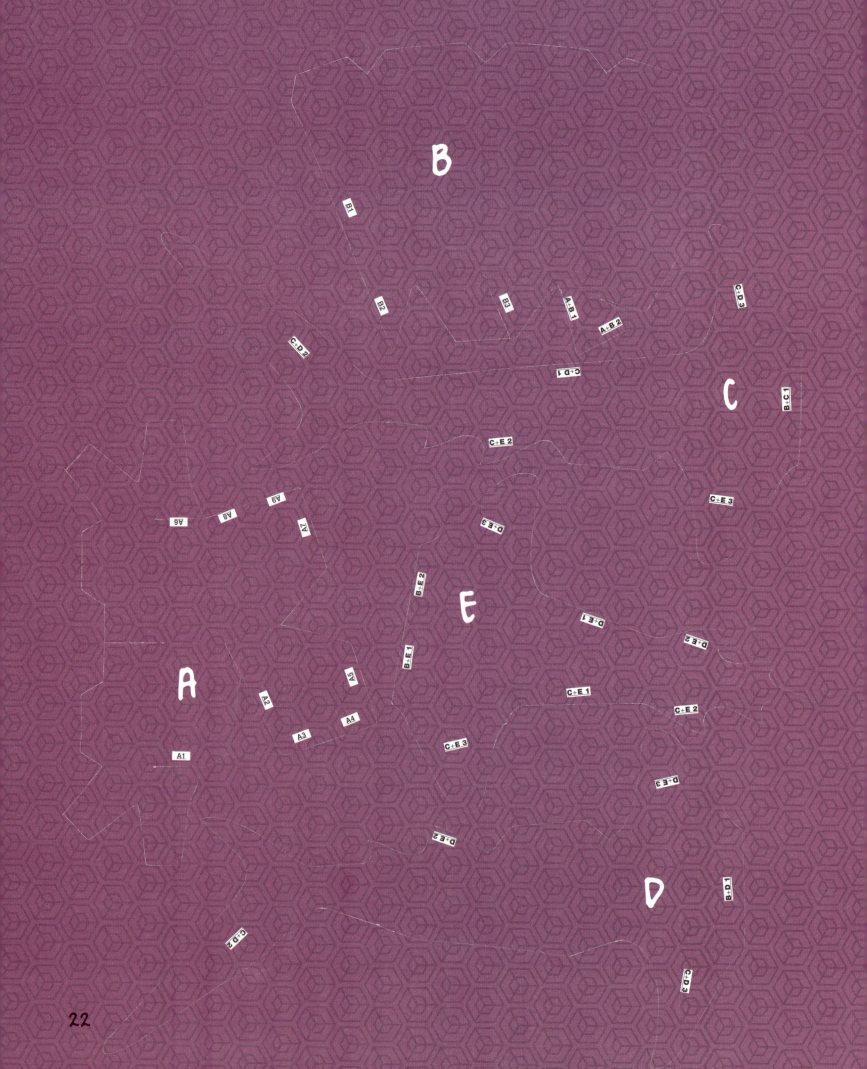

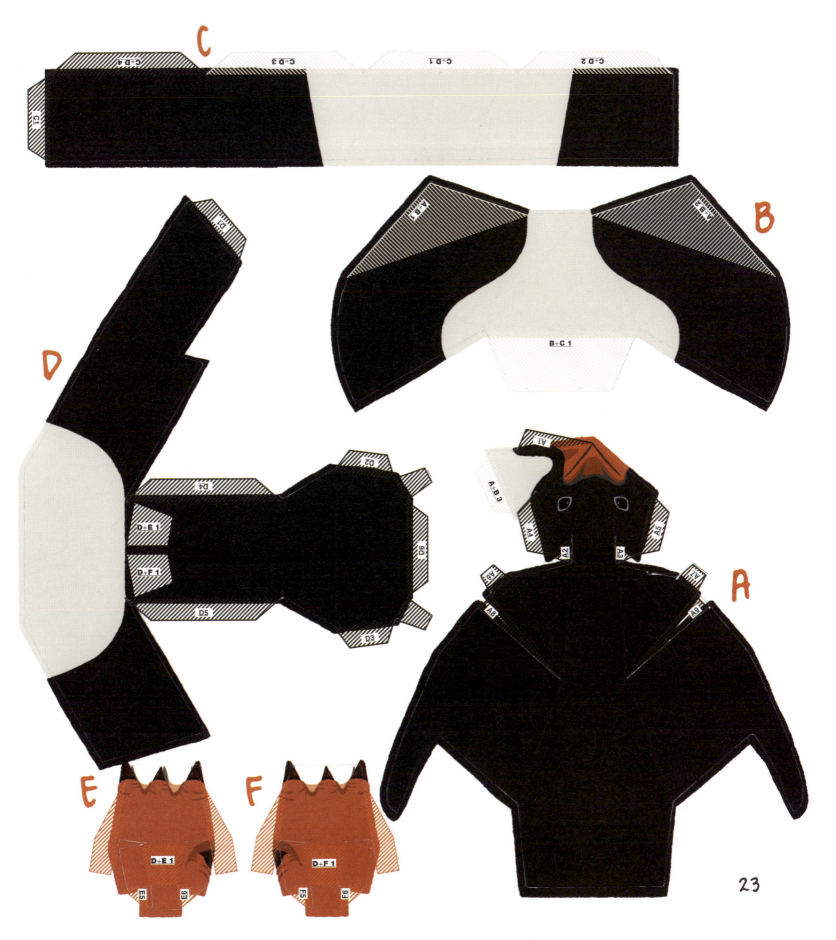

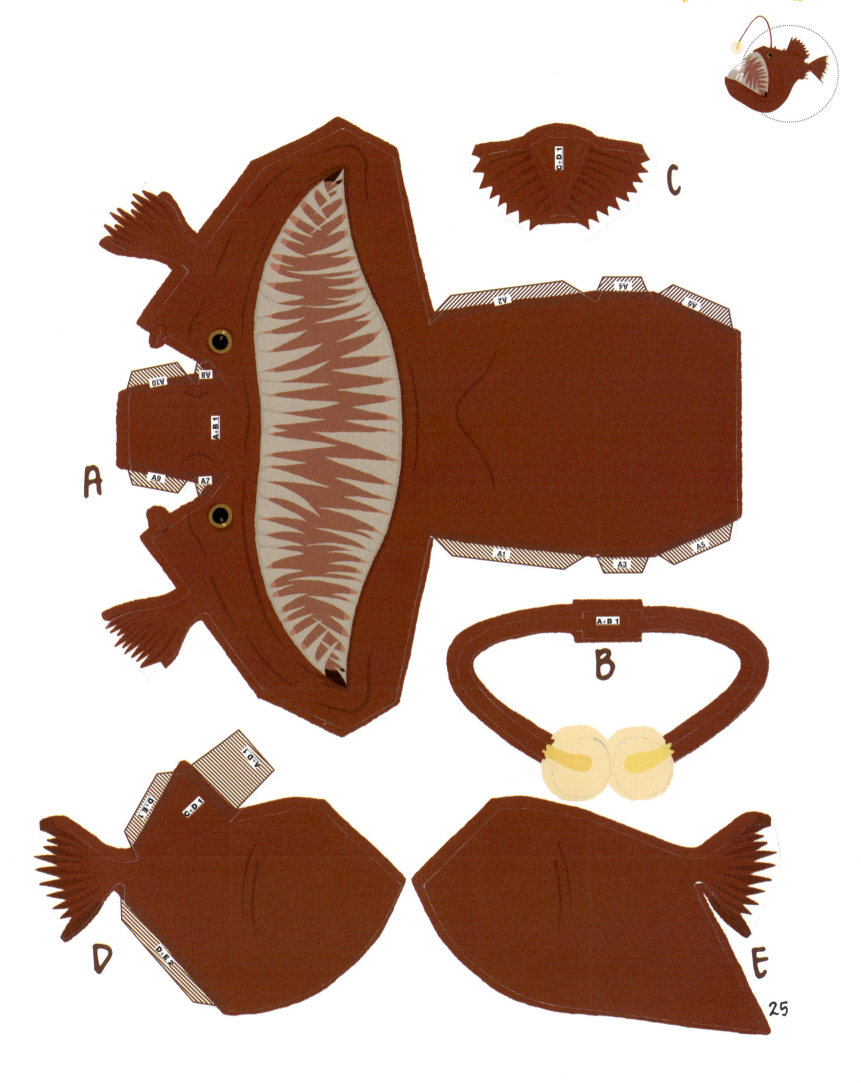

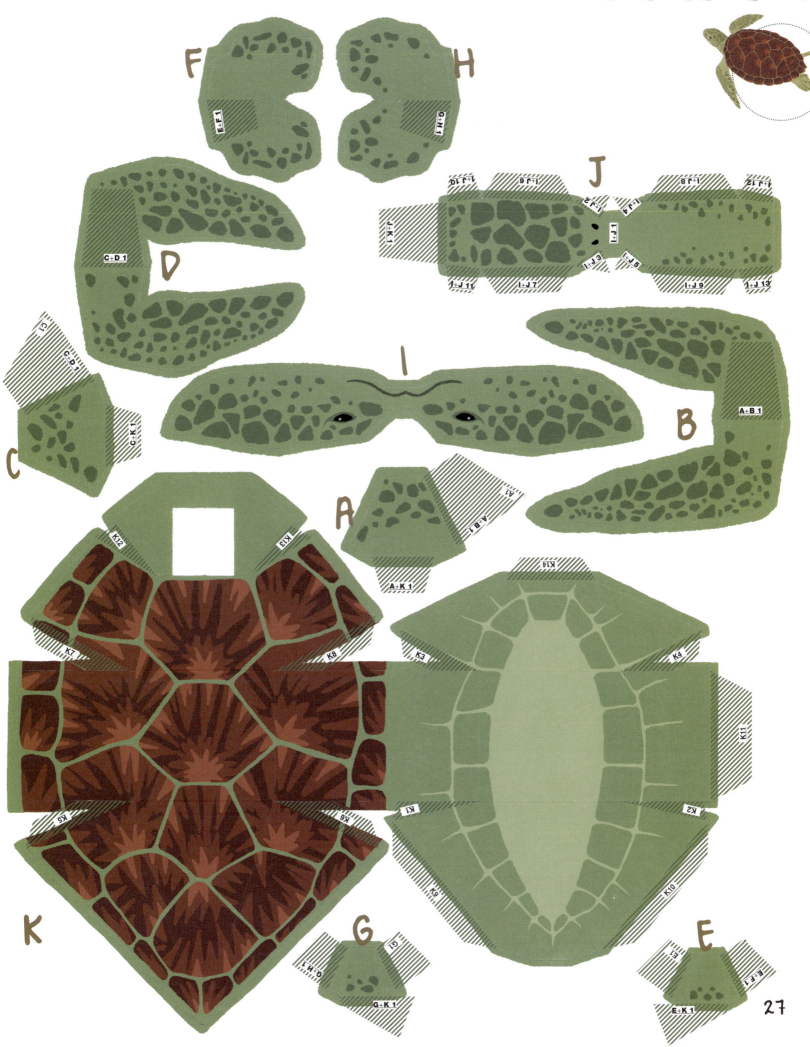

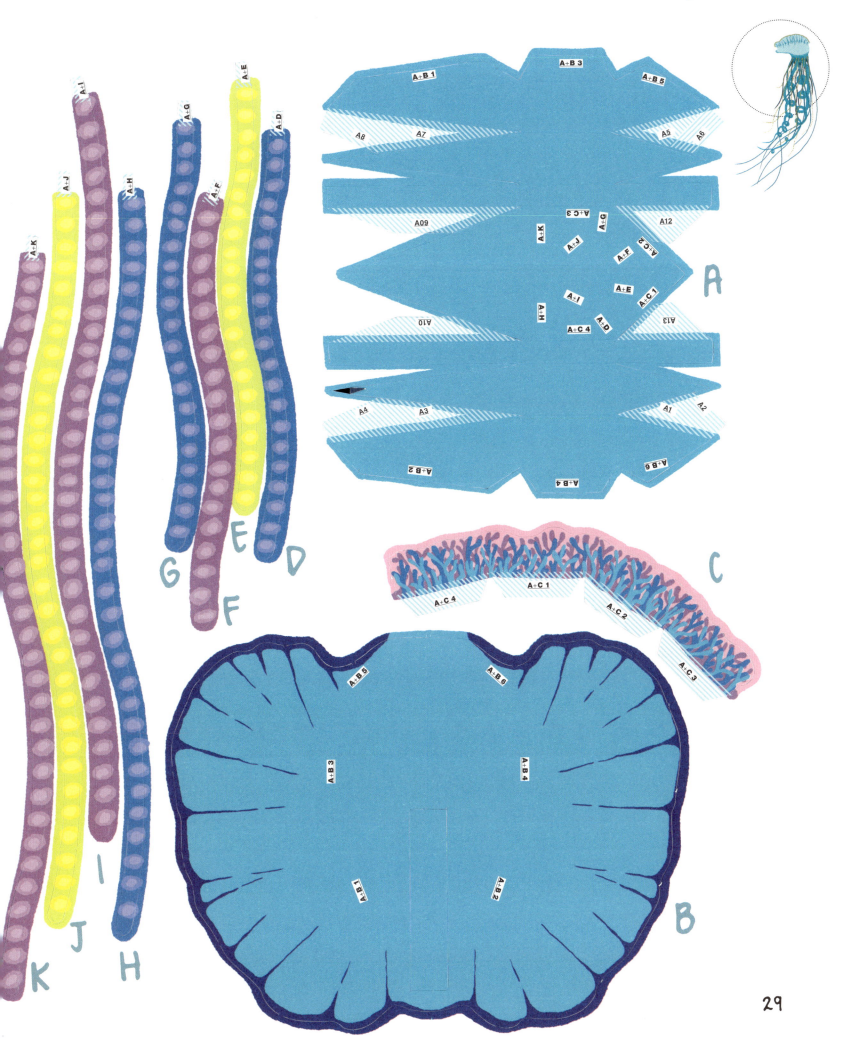

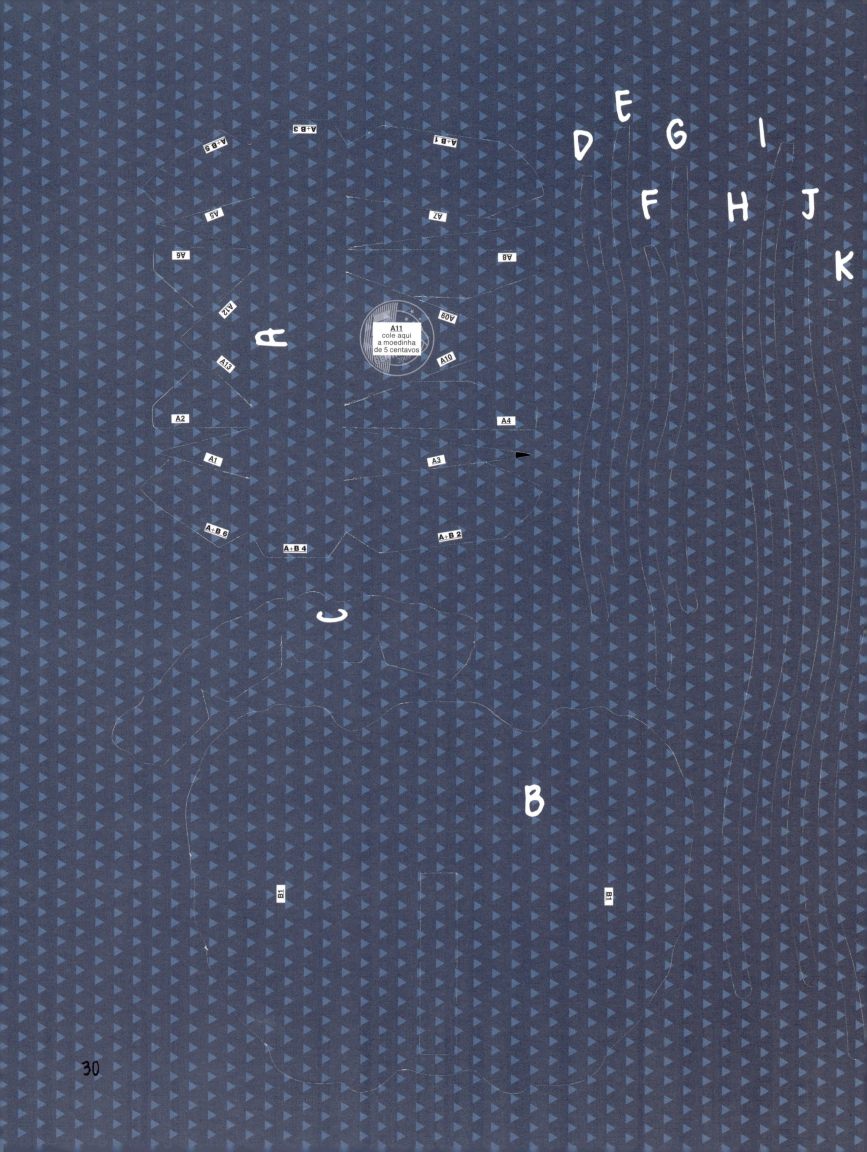

Copyright © 2017

Texto: Clarice Uba
Ilustrações: Lorota
Toy Art e instruções: Marcos Paulo Drumond
Projeto gráfico e diagramação: Ainá Calia
Capa: Ainá Calia e Lorota
Revisão de texto: Daniela Marini Iwamoto

Dados Internacionais de Catalogação na Publicação - CIP

U12
    Uba, Clarice
    Mini curiosos montam o fundo do mar / Clarice Uba. Ilustração de Lorota. Toy Art de Marcos Paulo Drumond. – São Paulo: Lume Livros, 2017. (mini curiosos montam)
    32 p.; Il.

ISBN 978-85-919672-7-8

1. Mar. 2. Animais Marinhos. 3. Literatura Infanto-Juvenil. 4. Diversidade Animal. 5. Tartaruga Marinha. 6. Tubarão-Martelo. 7. Caravela-portuguesa. 8. Pinguim. 9. Peixes Abissais. I. Título. II. O fundo do mar. III. Série. IV. Uba, Clarice. V. Lorota, ilustradora. VI. Drumond, Marcos Paulo, Toy Art.

CDU 82-93
CDD 028.5

Catalogação elaborada por Ruth Simão Paulino

Impresso na gráfica RR Donnelley

Primeira edição, Novembro de 2017.
Proibida a reprodução no todo ou em parte,
por qualquer meio, sem autorização do editor.
Direitos exclusivos da edição em língua portuguesa no Brasil por:

Lume Livros Editora Ltda - ME.
Rua Sebastião Rodrigues 303 - Vila Madalena
CEP 05451-060- São Paulo - SP
Tel. +55 11 37914719
contato@lumelivros.com
www.lumelivros.com

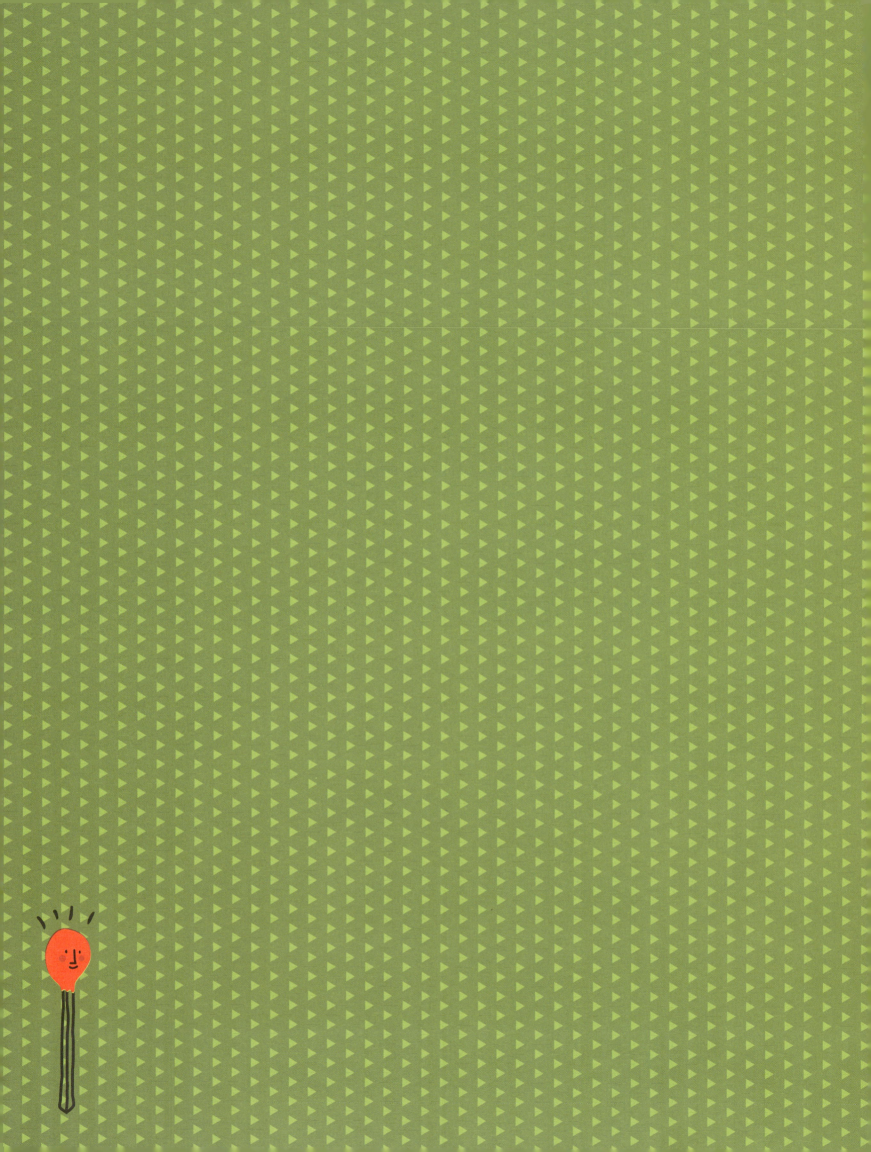